Ⅲ

ちいさな椅子とちいさなテーブルを持つ家

I

梯子

その家は少し変わった形状をしていた　神田川べりに立った家の二階に友人は住んでいたのだが　入口というものを見ることはなかった　二階の窓には梯子がかけられ　時々は外された

「ここは水責めにあった城のようだな」

窓を開けると湿った空気も流れてきた

年をとった少年

きょうは
なぜだか
としとった
少年に会った
少年は
めがねをかけて
背広を着ていた
仕事に行って
疲れていた

疲れていたので
飲み屋で一杯引っ掛けて
ノラ猫のあとを追いかけた
少年
ゆうやけの中で
子供の頃を思い出した
記憶の窓を
ちぎっては　開け
ちぎっては　開けた

月夜

木戸ノ所デ
父ガ倒レテイル
青白イ顔ノママ
ドコカ他人ノヨウナ気モスル

月ガ昇ル頃
私達ハ
イチジクノ実ヲ煮詰メ始メル
ジュクジュクト泡立ツ匂イガ

家ジュウ立チ込メル

父ノコトハ気ガカリダガ
ソノママニシテオコウ
通リスガリノ女タチガ
父ノカラダヲ白イ指デサワッテイル
赤紫色ノ血管ガ網目ノヨウニ浮キ立ッテクル
シダイニ
女タチハドウヤラ泣イテイルラシイ

夢の話

ずっと若い娘のころ
私は
ひとを殺したことがあった
西洋の農夫が使うような
大きな草刈り鎌を手に持ち
男を追いかけて行った
怖かったのは
ぐぁんと
鎌に反動をつけて

回転させ
根元から
男の頸を切り取ったことだが
(ずいぶん力があったものね)
もちろん
夢の中でのことだ
それから私は
テレビドラマのように
刑事に追われる身となり
草原の土手に身を潜め
男や女の走り過ぎていくのを
じっと耐えていたのだが
あれは夢だったのだよな
と

何十年たった
今でも
不安になる
夢はいつしか
記憶になり
私を
脅かしつつあるから

仲よし保育園

一九六一年の春
ちいさな椅子と
ちいさなテーブルを持つ家に
引っ越していった

食事どきには
背中を丸め
この国の住人となった

朝になれば
見知らぬこどもたちで
あふれてくるから

ひとぉーつ　ふたつ

二階にある
隠れ部屋のようなところで
息を止めた

戦争ノ始マル

戦争が始まりそうですな
と笑いながら
隣家の男が
窓を閉めている
西日が光のまま窓に当たり
オレンジ色の不安が
部屋の中にも忍び込んでくる
寝ているこどもの顔半分だけ
日が当たり

こどもはすでに
赤い顔をしている

Ⅱ

ベニカナメモチ

子供たちがまだそれほど大きくない頃　練馬区の立野町のあたりに居たことがあった　練馬区と言っても杉並と武蔵野市との境あたりである　二階付の社宅で各家ごとに小さな庭がついていた　垣根があって狭い空間を仕切るようにベニカナメモチの木が植えてあるそこに何年くらい居ただろうか　一番下の娘が高校の頃まで居たように思う

先日　久しぶりにそのあたりまで歩いた　ほぼ二時間程の散策のつもりである　その社宅もすでに閉鎖され住む人も居なかったが　何

故か我々の住んでいたところの例のベニカナメモチの木だけが五《メートル》も六《メートル》も空高く伸びていた　誰も世話をせずとも成長して　今や不気味な有様となっている

私には何故かそれがどこかに残したまま放っておいた子供のようにも思える　子供は放って置かれた悲しみを糧にあんなに伸びてしまったのではないかしら　その子供と久しぶりに対面してしまった気恥ずかしさのようなものもあった

阿佐谷のこと

たとえば八百屋の前など通ると　その時は確かにホウレンソウなど
買うはずであったのに　あとからあとから人の声が聞こえ　わたし
はもう既に気おくれしてしまっていた　だれの姿も見えなくなる頃
になると　いつものように八百屋の主人は声をかけてくる　阿佐谷
に来てからというもの　駅前のスーパーで買うのを日課にしていた
が　時々はこうやって　ちいさな店に入ることもあった　子供の頃
から他人に声をかけるのもかけられるのも苦手で　「どうする　ど
うする」と迫られると唇はさらに閉じ　ついには「これを」と指さ
すだけである　そんなことが何か月も過ぎて行くと　だいぶ図々し

いものが芽生え　子どもさえできてしまった　家を何度か変わり相手の勤める会社の寮のようなところに入った　部屋を出るたびに主婦たちの群が行く手を阻むので難儀した　わたしのところは二階だったが　一階には両親の離婚した孫の面倒を見ている年とった女が居た　挨拶にいくと「もうごあいさつ回りは御済みになりましたか」と聞かれ（二四戸もあったのだ）してもいなかったがうなずいた　月に一度はみんなしてこの建物の敷地を掃除した　男たちも出て来てこんな時には妙に力仕事に勢をだす　長い寮生活が終わり　自分たちのマンションを購入してからも　この月に一度の掃除の夢にうなされた　あったはずの掃除の日に出るのを忘れていたとそんな夢であった　はっとして起きて　もうそんなことはしなくていいのだと納得するまで時間がかかった　下の階のもう一方の家には独身の五十歳くらいの男がいて　回覧をもっていくと　いつも薄暗い部屋から出てきた　ドアのところにはセピア色の家族の写真

が貼ってあって　家族とは言っても何代も前の着物を着た明治の頃
の写真もあった　向かいの年寄りが死ぬと　そこには若い男女が入
って来た　男が仕事に行くときには　女は膝をつき　指をついて
「いってらっしゃいませ」と言っていた　子供はいなかったらしく
外に出てくることはなかった

ゴジラ

知り合いの大学生の家に行く途中出会った細い道の片側には背の高い木が並び　急に私は後ろを振り向きたくなる　遠くにある森がしだいにもくもくと膨らみ　その後ろで大きなゴジラの頭が少し見えた気がした

忍耐

大杉君はたしか自分の故郷の偉人に同姓の大杉栄*というのがいたんだ　僕はこの人が大好きなんだよと言った　私は大杉栄のことは知っていたけど黙っていた　黙ってにこにこと笑った　お昼の時間はすぐに終わってしまって　私はまたこの印刷所の作る大きな画集をペーパーナイフで切り裂くのであった　ムンクもあったしデルボーもあった　この仕事を私はずいぶんと気に入っていた　毎日毎日繰り返すこの仕草の中で　時どき会う大杉くんとの時間をたのしんだ　ある日指を断裁機で切り落としてしまったという学生の話が聞こえてきた　そういえばここ何日か会っていなかった　それきり

会うことはなかったが　指は無くなってしまったのだろうか（今や
当時の小娘も六十五になっている）　社員たちはみな指が二、三本
はなかった　拳固のような手で器用に本を束ねた　切断するたびに
昇給していくと言うこの仕組みについては　忍耐と言う古い世界観
がいまだに生きていたのを知った

＊明治・大正期のアナキスト

父の葬式

当然のように　父の部屋では父が横になって　亡くなっていた　線香が焚かれ　絶え間なく訪れるひとの応対で母は少し気持ちを壊しかけていた　応接間では数人の男たちが集まり　金の算段をしている（香典のことであろう）　父はながいこと教師をしていたので「まあざっとこんなもんだな」と声たちが重なるように笑っているその中の一人は長い間父と苦楽を共にしていたが　私は一度その教師の授業を受けたことがあった

翌朝になると昔話のような雪が降っていた　ギリシャ悲劇の中のお

そろし気な話にでてくる黒い服を纏った女たちが雪の中を歩いてきた　遺影に向かって「センセイ、センセイ」と涙ぐんで叫んでいるほとんどが女の人だったが　父は女というものが好きだったに違いない　女は家族とは違うものなので　きっとかわいがったのだろう（幾度か触ったかもしれない）　私を含め母も妹もその叫びを乾いた気持ちで眺めていた

ぼくのおじさん

父にはずいぶんと年の離れた弟がいた　わたしがちいさくて父に抱かれている頃には　まだ高校の制服を着ていた　わたしはこの叔父のことをよく憶えていないが　子供の頃よく祖母の家に預けられていたから　向こうではよく知っていたはずだ　父のことは兄さん兄さんといつまでも慕っていた　祖父は私が小学生の頃亡くなったから　まだ社会人になっていなかったかもしれない　結婚して子供ができると酒を飲んでは暴れていた　父の方はさっさと財産放棄をして家を出てしまったから（長男だったが）　すでにこの面倒な騒動から我家は抜け出ていたが　奥さんは逃げるし　叔父さんは小さな

赤ん坊をひとりで育てることになった　その世話は祖母や父に先を
越されて逃げ遅れた次男の嫁が見ていたのだろう

ジャック・タチの映画や北杜夫の小説にはよく世の中から置いて行
かれたような「ぼくのおじさん」が現れる　だいたい小さな子供の
そばにはこんなおじさんがいるのだが　決まって子供を心のありか
に向かって導いてくれる

Ⅲ

小人閑居

ズボンが
ひとつ
ほうりだしてある
散歩からかえって
そのまま脱ぎすてられたとでも云うような

すこし膨らんだまま
からだが
ぽっかりと

入って
抜けたとでも云うような

*

窓辺からは
吊るされたままの
月がひとつ
ぼんやりとしたまま
消えたり出たり

三叉路

「私はいったい
どこへ行ったらいいでしょう」
女が近づいてきて
問いかける
こんな時
道は
やはり
三叉路がいい
日暮れ時になると

ひとは
せわしなく
哀しくなるものなので
うすぐもの寒色の中で
「さあ」
なんて
とぼけてしまう
はっきりしない
目の前の
家と家の形状が
押し迫ってきて
わたしと女との距離を
狭めてくる

まもなく

明け方　列車に乗っていた
—まもなく
—いのちも終わりに近づくでしょう
と
アナウンスが流れ
—これまで
—一生懸命に生きてこなかったのが悔やまれる
と
涙ながらに訴えると

それでは
と言って
いきなりドアが開いた

わたしたちは
駅のホームに並び
人びとを乗せた車輛の通り過ぎていくのを
見送っている
生き延びたと言っても
どこで何をすればよかったのだろう
先ほどの列車から降りなければよかったのだと
これから終わることなく続く
いのちというものに思いを馳せた

ゼンソクになった頃の話

ボーボーと
夜の遠くのほうで
たしか
フクロウのような鳴声が聞こえたのだが
なにしろ私はその時
息をするのがとても億劫だった
あれは何であろうと
かすかな夢の中で
耳を開いた

しかし
なにやら
私の呼吸に合わせるように
その声は聞こえ
それでいて
それは妙な具合に
私の子供のころの
さびしい記憶を
ふりかえさせる
そんなわけで
それからというもの
私は
肺と心をぴったりと合わせるように
息を吐いた

八月のベロニカ

ベロニカの
いちばん
きれいな時は
やっぱり
男には
わからないだろうな

ベロニカの
いちばん

きれいな時は
ときどき
ベロニカ自身にも
わからないだろう

ずいぶん小さな
少女の頃だったり
八月の
死んだあの
歪んだ
表情だったりして

そんなに簡単に見せてはやらないのだ

ある日

夏の陽当たる
郵便局に行くと
連れが（わたしのことを）
「妻が」
と、いきなり他人事のように言うので
すこし
気持ちが
はなれ
用意された椅子に

深く凭れたまま
ますます
他人のような気が
してきた

ある日
男が死ぬ日の
翌朝も昇るという
オレンジ色の太陽のことなど
思い浮かべ
久々に訪れる
孤独というものを胸に描き
つい楽しみに
楽しみになり

知らず知らず
口元もゆるむ

抜歯

この歯は抜きましょう
と
歯医者は言い
レントゲン写真を見せ
ほらもうこの歯はほとんど無いのだし
なくてもいいじゃないか
と言うのだが
年とった
わたしのことを言われているようで

根の奥に広がる
精神というものがそこにあるのに
それは詩の心のようなものでもあるのに
なくてもいいとは
と
やや不快に思い
また　のこのこと
別の歯医者に行く

それだけのことで
今日
わたしの中の
芯らしきものは
安堵し

街を歩いている
街の中で
歯の生れた時分の
少女の頃を想い
　―そのころはたしか
舗装もされていない道を
ただぶらぶらと
歩いていたのだが

外では
蝉の声が
うるさく聞こえている
夏の夜の方から
アスファルトを歩いてくる

湿った男の
足音も聞こえた

馬

生まれた時には
この国の象徴というのは
あの人にきまっていたので
詩でいう symbole というのとは
少し違うらしいと
うすうす
感づいていたのだが
やはり
どうも

象徴ということからしてが
わかりにくく
たとえば
カラスがこの国の象徴である
となれば
こぞって
可愛がるのであって
旗にもカラスの姿を映して
月明りにかざすのだが
カラスが駄目だと言うのなら
馬でもいい

寓話

遠い国からやってきたとでもいうような男が　夜の隙間で立っている　この日いちにち友人と　歩きまわっていた私は　総武線の　もうほとんど疲れきった人々の中に　日本の少年らしいのと　この奇妙な男が　ただ他人のようにぼんやり　立っているのを見つけてしまった　いくつかの駅が通りすぎ　人々が姿を消すと　二人は　私の向かいにある席に座わり　少年は男の肩に顔を乗せ　ふたことみこと男の国の言葉を話す　甘えたようなそのしぐさが　見知らぬ国の寓話のようでつい戸惑ってしまう

私たちはまるで青白い沼の底にでもいるようだな　気泡が上へ上へと昇って行っては弾けていく　弾けるたびに声が現れ「さようなら」「さようなら」と私たちは別れた

夢の島

何かをしていて急にそれがうまくいかなくなってしまうことがあるあったはずのものが見当たらなくなったり　無かったものが急に現れてきたり　こんな些細なことに心が躓いてしまう　今日はカッター台が見つからなくて困った　そこから先には考えというものが進んで行かなくなる　私は確か紙を切断しようとしていたのだがなにしろそれは碧色のカッター台でなくてはならない　切られたものは夢の中で現れる光の屑のようなものに似ている

確か夢の島というものがこの国にはあったが　ずいぶんと調子に

乗った名前である　なぜならそこには塵が捨てられてあったのだし
ネズミや蝿であふれていたし　蛇の娘やトカゲのおじさんもいたか
もしれない
今日私は碧色のカッター台の上で指を切り落してしまう　ごろりご
ろりと転がる指は夢の島に向かっているようで私はそのあとを追い
かけ始めた

気配

むこうの
団地の
植え込みの辺りから
おおきな顔の男が
こちらを覗いている
欲情というものを失くした
顔のようだったが
ただの大きな貼紙だったかもしれない
数カ月後の選挙をひかえ

街のいたるところから
私を見つめている
その男に向かって
いっぴょう
持っているのですよ
わたしは
と
いきなり
神のように
言って見たい
気持ちになるのだが

——知っていますよ
——あなたの苦しみも

と
そのとき
変に取り繕った気配が
近付いてきた

日の暮れ

いちじくの実の
熟す音が
きこえてくる

風が
ぱたぱたと
街中の
おんなこどもの
髪をめくっていく

年老いた男が
橋梁の上から
ビルのてっぺんからと
いちにちを
そっと
投げ捨てる

日が暮れると
街の明かりが朱く
地の果てまでも
つづき

空では

下弦の月さえ見当らない

くりはらすなを　埼玉県生まれ
個人詩誌「AFTERNOON」発行
「たまたま」「PAX」同人

詩集
「午後」　一九七九年
「天窓」　二〇〇六年
「月夜の晩」　二〇一三年
「遠くの方で」　二〇一六年

〒181-0013　東京都三鷹市下連雀9-5-60-414

ちいさな椅子とちいさなテーブルを持つ家

二〇二〇年三月六日発行

著　者　くりはらすなを
装　丁　臼井新太郎
発行者　日高徳迪
発行所　株式会社 西田書店
東京都千代田区神田神保町二-三四
電　話　〇三（三二六一）四五〇九
ＦＡＸ　〇三（三二六二）四六四三

印刷・製本　平文社
カバー装画　保光敏将

ISBN978-4-88866-649-7